Barbapapa

Barbamama

Barbidou

Barbibul

Barbalala

**Les Livres du Dragon d'Or**
60 rue Mazarine, 75006 Paris.
Copyright © 1979, 2008 Annette Tison, tous droits réservés.
Loi n° 49-956 du 16 juillet 1949 sur les publications destinées à la jeunesse.
ISBN 978-2-87881-331-9. Dépôt légal : mars 2008.
Imprimé en Italie.

9 8 7 6

# BARBAPAPA

## La Musique

Annette Tison et Talus Taylor

LES LIVRES DU
DRAGON D'OR

Barbalala aime la musique symphonique mais elle n'aime pas les sons de l'orgue barbapesque.

Barbapapa va lui apprendre à fabriquer les instruments à cordes.

Avant tout,
il faut du bois,
de la colle et
du vernis.

Les Barbabébés préfèrent
aller se promener
sauf, bien sûr,
Barbalala.

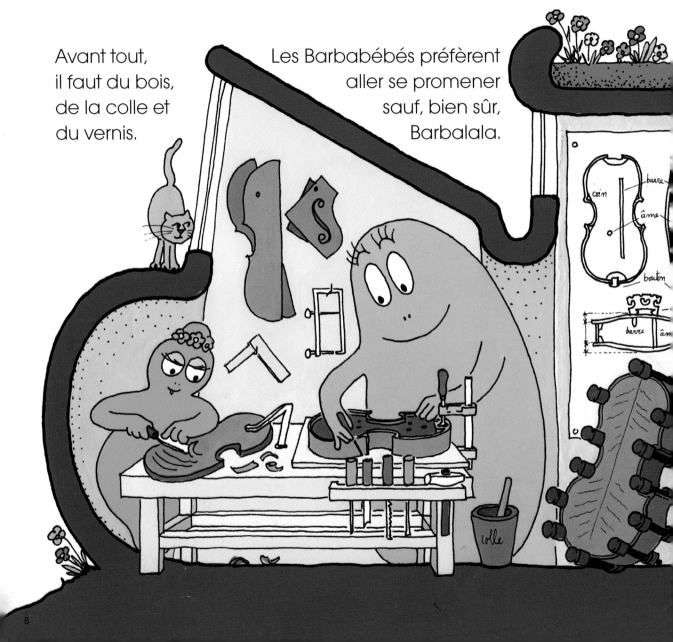

9

Pourquoi fabriquer des instruments compliqués ?
Utilisons les sons de la nature !

GONG

Les Barbabébés s'adonnent aux percussions.

DONG

DING

CLING CLING CLING

DING DING

DING TANG TONG

GRAT GRATT

DONG

Au bord de l'étang,
ils trouvent des cannes
et des bambous...

...avec lesquels ils se fabriquent toutes sortes de flûtes.

Sport et musique !
Barbotine découvre la cithare.

PLOÏNNG

PLÏAOÏNGPLÏONANGMÏOUÏÏAAÏ

Et l'arc offre des possibilités musicales inattendues.

Pendant ce temps, Barbamama, Barbapapa et Barbalala achèvent leurs instruments, en vue du prochain concert.

C'est un succès !
Mais, qu'a encore
inventé Barbibul ?